Le bestiaire
de Paris

Fontaine Cuvier, par Feuchère et Pomateau, 1840 – 1846, angle rue Linné – rue Cuvier, V^e.

Magali Chanteux
photographies

Le bestiaire
de Paris

A la découverte de l'art animalier
dans les rues de la Capitale

texte de
Jacques Barozzi

H

EDITIONS HERVAS

Renard et corbeau, *Monument à Jean de La Fontaine* (détail), par Charles Correia, 1984, jardin du Ranelagh, XVIᵉ.

La représentation animale dans les rues de la Capitale

Une esquisse d'inventaire

Huit chevaux, quatre dauphins et huit tortues prennent les eaux en haut de l'avenue de l'Observatoire. Trois flamants roses s'ébattent en bordure du miroir d'eau du Parc floral de Paris. Un coq, gaulois et républicain, contrôle la grille à laquelle il a donné son nom à l'entrée des jardins du palais de l'Elysée. Une riante baleine bleu trône, majestueuse, au centre du jardin Saint-Eloi. La dépouille d'un lion mort, transportée par trois Africains, théâtralise la partie basse du parc Montsouris, tandis que, dans la partie supérieure, une lionne affronte en un combat cruel un énorme serpent. L'*Oiseau lunaire* de Juan Miró, lisse et rebondi, est l'occasion de joyeuses escalades pour les bambins du square Blomet. Deux éléphants recouverts de lierre montent la garde à l'entrée du Jardin des enfants aux Halles. Aux Tuileries, un tigre pacifique porte sur son dos un paon et ses petits. Le corbeau et le renard de la fable illustrent le monument à Jean de La Fontaine dans les jardins du Ranelagh. Comme échappé du jardin des Plantes voisin, un effrayant crocodile, la gueule grande ouverte, a élu domicile dans la fontaine Cuvier. Un corpulent rhinocéros, l'air placide et bonasse, attend le visiteur sur le parvis du musée d'Orsay. D'adorables oursons et un chien batifolent au square Saint-Lambert. Au Trocadéro, Hercule dompte un bison. Au Luxembourg, Diane est accompagnée d'une biche et Léda de son cygne. Du côté de la façade latérale ouest de l'Opéra Garnier, des aigles aux ailes déployées coiffent les deux grandes colonnes qui marquent l'entrée des rampes. Des vautours ont envahi la pièce d'eau du square des Batignolles. Une gracieuse gazelle est à l'enclos au square Henry-Bataille. Les deux taureaux et l'âne du parc Georges-Brassens nous rappellent que les abattoirs de Vaugirard occupaient autrefois les lieux. Un lapin surgissant d'une casserole décore la façade du célèbre cabaret montmartrois le Lapin Agile. Des poissons polychromes égayent les panneaux en céramique de Sarreguemines d'une des plus anciennes poissonneries de Paris 24, rue du Faubourg-Montmartre. Un grand-duc impassible soutient le balcon de l'immeuble où vécut l'architecte Viollet-le-Duc, au 68, rue Condorcet. Des chats attentifs observent les mouvements du quartier depuis la façade d'un immeuble 1900, au 2, rue Dorian. D'appétissants escargots aguichent le chaland à l'entrée d'un restaurant spécialisé dans la préparation de ce gastéropode 38, rue Montorgueil. Une fresque monumentale tout entière consacrée à la gloire du gibier – faisan, grive, caille, porc, cerf, sanglier… – orne la charcuterie du 134, rue Mouffetard.

Et le centaure, mi-homme mi-bête du carrefour de la Croix-Rouge ? Et les deux dragons ailés, heureusement figés dans le bronze, rongeant leur frein de part et d'autre de la fontaine Saint-Michel ? Et les fantastiques gargouilles de Notre-Dame ?

Paris est une ville pleine d'animaux

Paris est une ville pleine de lions, affirme en titre de l'un de ses ouvrages la romancière Geneviève Dormann.

Pas seulement.

En effet, au hit-parade animalier de la capitale, le « roi des animaux » partage la première place avec le cheval, « la plus noble conquête de l'homme » et, Seine et multiples fontaines obligent, le dauphin. Viennent ensuite de nombreuses espèces lointaines et exotiques (éléphants, rhino-céros, serpents, tigres…), vestiges d'un orientalisme et d'un colonialisme l'un et l'autre passés de mode, et la gamme complète des animaux domes-tiques et familiers (bœufs, ânes, cochons, chiens, chats…), hommage nostalgique de la capitale à la France champêtre et agricole ?

Sans parler de la kyrielle de bêtes monstrueuses et imaginaires, direc-tement issues de l'époque moyenâgeuse.

Ainsi peut-on dire que Paris est tout à la fois un zoo, une ménagerie, une vaste ferme, une basse-cour et une véritable jungle : l'Arche de Noé reconstituée, en somme.

Certains animaux nous contemplent depuis 900 ans

Les plus anciens animaux de Paris ont entre 800 et 900 ans.

Ils ornent des monuments majeurs de l'art roman des XIe et XIIe siècles dont la capitale a conservé, malgré de nombreux remaniements ultérieurs, plusieurs vestiges.

Ainsi peut-on toujours admirer aujourd'hui des lions ailés et des oiseaux fantastiques, certains à tête humaine, à l'entrée de l'église Saint-Germain-des-Prés ; un lion, sur la tour latérale, et des têtes d'animaux étranges, tout autour du chevet de Saint-Martin-des-Champs (prés, champs… Dieu que Paris était bucolique en ce temps-là !) ; un étonnant homme à tête de cochon tirant par la queue un bouc, un oiseau fantas-tique, un petit cheval et des mufles de lion sur les plus anciens chapiteaux de Saint-Pierre-de-Montmartre ; encore des lions dans la chapelle Saint-Aignan de la rue des Ursins et les têtes d'un âne et d'un bœuf sur le portail sud de Notre-Dame, dédié à sainte Anne, qui est antérieur à la construction de la cathédrale gothique.

Gargouille, cathédrale Notre-Dame, IVᵉ.

Au XIIIᵉ siècle, les monstres arrivent

Dans son *Dictionnaire raisonné de l'architecture française*, Eugène Viollet-le-Duc (1814-1879) nous révèle que les gargouilles sont apparues en France au début du XIIIᵉ siècle. Décorant les chéneaux destinés à rejeter les eaux de pluie le plus loin possible des constructions inférieures, elles prirent dès l'origine l'aspect d'animaux fantastiques, sous une infinité de formes. Selon cet architecte, spécialiste du Moyen Age, il n'en existe pas deux semblables.

Essentiellement en pierre dure, on les trouve plus fréquemment dans les régions où ce matériau abonde : l'Ile-de-France, la Champagne, la Basse-Loire.

A Paris, les premières gargouilles apparurent sur les corniches supérieures de Notre-Dame vers 1225. Courtes et ramassées, elles se différencient de celles de la Sainte-Chapelle, plus longilignes, qui représentent non seulement des bustes d'animaux, mais des animaux entiers. Par la suite, Viollet-le-Duc observe que la composition des gargouilles se complique, les figures humaines remplaçant souvent celles d'animaux. Et de préciser que, durant le XIVe siècle, les gargouilles sont généralement longues, déjà grêles et souvent chargées de détails, tandis qu'au XIe siècle, elles s'amaigrissent encore et prennent un caractère étrange de férocité. Rappelant enfin que « ces parties importantes de la sculpture du Moyen Age ont toujours été traitées par des mains exercées », il déplore que « Dans les pastiches modernes que l'on a faits des édifices gothiques, il est fort rare de voir des gargouilles qui se lient heureusement à l'architecture : elles sont, ou mal placées, ou lourdes, ou trop grêles, ou molles de forme, pauvres d'invention, sans caractère ; elles n'ont pas cet aspect réel si remarquable dans les exemples anciens... ».

Sous l'animal, le symbole

Au square de Cluny, le visiteur peut reconnaître, malgré l'usure du temps, trois émouvantes statues, symboles des évangélistes : le lion de saint Marc, l'aigle de saint Jean et le taureau de saint Luc.

Situées derrière les grilles qui séparent le musée du jardin public, elle proviennent de la tour Saint-Jacques et ont été exécutées en 1522 par Pierre Rault. Celles que l'on peut voir actuellement au sommet de la tour, rue de Rivoli, sont des copies datant de 1854.

Les statues en pierre du musée de Cluny, elles, passablement effritées et désormais hors de portée des mains des promeneurs (récemment encore, elles trônaient dans le jardin), comptent parmi les plus anciennes sculptures animalières en ronde-bosse de Paris.

Du veau d'or des peuplades païennes jusqu'à l'âne et au bœuf de la Nativité, en passant par les diverses espèces de l'Arche de Noé, la Bible – Ancien et Nouveau Testaments réunis – est pleine d'animaux familiers, voire même fantastiques. Chacun d'entre-eux est toujours porteur d'un symbole. Quoique particulièrement riche en la matière, le christianisme ne détient pas toutefois le monopole du symbolisme animal. Toutes les reli-

gions lui ont réservé une place privilégiée. Il semble d'ailleurs que dès que l'homme a su dessiner ou modeler des formes, il ait représenté des animaux, ainsi qu'en témoignent les peintures préhistoriques des cavernes. Depuis toujours, ceux-ci ont inspiré les artistes et les artisans de tous pays et de toutes civilisations : peintres, graveurs, sculpteurs, potiers, orfèvres, mais aussi poètes, fabulistes, conteurs, romanciers... sans oublier les prophètes.

Alimentant de nombreux mythes ou porteurs d'une symbolique à caractère profane ou sacré, les animaux nourrissent depuis la nuit des temps l'imaginaire humain, aussi bien par le verbe que par l'image.

A propos, savez-vous que les symboles des évangélistes sont en fait, tout comme ces derniers, au nombre de quatre ? Le lion, l'aigle et le taureau comptent parmi eux un élu supplémentaire qui n'est autre que... l'homme, symbole de saint Matthieu !

Classé parmi les mammifères de l'ordre des primates, cet animal, qui se distingue par son cerveau volumineux, sa position verticale et ses mains préhensibles, est le seul de son espèce à se percevoir lui-même comme un symbole : modèle réduit de l'univers, « fait à l'image de Dieu », l'homme n'a pas hésité à se placer au centre du monde des symboles et, de surcroît, à se doter d'une âme. *Vanitas vanitatum*...

L'animal devient bestiaire lorsqu'il touche aux symboles. De tous temps, la symbolique a condensé sous forme d'emblèmes de multiples idées. C'est par ce biais-là, que l'image peut rivaliser pleinement avec le mot. L'égaler, voire le dépasser ? Comparons, par exemple, les trois animaux les plus représentés actuellement à Paris (le lion, le cheval et le dauphin) aux trois animaux symboles des évangélistes (le lion, le taureau et l'aigle). Nous constatons qu'une seule espèce est commune à ces deux groupes : le lion.

Cet animal, qui apparaît déjà au moment de la création des valeurs de la civilisation chrétienne, occupe encore de nos jours une des toutes premières places dans la symbolique animalière.

Si le taureau et l'aigle des origines semblent avoir cédé leur rang au cheval et au dauphin, le lion, lui, s'est substitué à lui-même : toujours semblable en apparence, mais sans doute différent dans son sens symbolique.

Lion, par Antoine-Louis Barye, palais du Louvre, quai des Tuileries, Ier.

De la même manière que la civilisation chrétienne dans laquelle nous vivons est semblable et différente de celle dont elle découle. Au fil des temps des modifications sont intervenues d'une société à l'autre jusqu'à la nôtre, tout comme un glissement de sens s'est produit entre le lion de saint Marc et celui d'aujourd'hui.

Que signifiait le lion d'il y a deux mille ans et que signifie le lion contemporain ? Pourquoi préfère-t-on, en tout cas depuis le XIXᵉ siècle – période prolixe dans la sculpture parisienne – le cheval et le dauphin au taureau de sain Luc et à l'aigle de saint Jean ?

Voilà les vraies questions culturelles, au sens strict du terme, qu'il conviendrait de se poser, car elles touchent aux idées fondatrices de notre civilisation et à leur évolution.

Le Lion d'éternité

Dans son ouvrage particulièrement érudit et superbement intitulé *Le Bestiaire du Christ*, L. Charbonneau-Lassay nous rappelle que le lion, parmi la centaine d'animaux recensés dans son livre, fut : « le premier de ces quatre rois que l'Éternel fit paraître aux yeux éblouis d'Ezéchiel sur les bords du Chobar, et que saint Jean reconnut en son éblouissante vision de Patmos, alors qu'ils chantaient devant le trône de l'Agneau dominateur en agitant leurs ailes de feu : le Lion, roi terrible des fauves, le Taureau, roi des victimes, l'Aigle, roi des airs et l'Homme, roi du monde. » Et de préciser que, bien des siècles auparavant, « les paganismes d'Europe, d'Afrique et d'Asie avaient adopté l'image du Lion pour figurer, comme ils se les imaginaient, les divers attributs de la Divinité. »

Outre l'idée de divinité, les anciens prêtaient également au lion des valeurs mythologiques découlant des qualités particulières qu'ils attribuaient à cet animal, à savoir *puissance, vigilance, courage et justice*. Autant de vertus qui se retrouveront dans la symbolique chrétienne qui, en plus, fera du lion l'emblème des deux natures de Jésus-Christ. En effet, dans la représentation allégorique du lion, la dualité Homme-dieu de Jésus-Christ se traduit en général par une partie antérieure puissante et une partie postérieure le plus souvent grêle : la tête, la poitrine et les pattes de devant

Panthères, musée des Arts africains et océaniens, 293, avenue Daumesnil, XIIe.

symbolisant la nature divine du christ et la moitié postérieure, reliée plus directement à la terre, l'image de son humanité.

En ces temps-là, le lion symbolisait aussi l'*amour*. A cause probablement de l'ardeur qu'il met dans ses transports amoureux avec la lionne. Cette alliance triviale de l'idée d'amour associée à l'image du lion, très commune chez les anciens Grecs et au Proche-Orient, s'est perpétuée dans l'art chrétien des premiers temps, à travers des représentations plus édulcorées. Sur des lampes chrétiennes des cinq premiers siècles, découvertes à Carthage, on peut voir un lion entouré de colombes et de cœurs, qui sont également des symboles d'amour.

Mais le lion-Dieu peut devenir aussi le lion-Satan. Une opposition symbolique que l'on rencontre également chez plusieurs autres animaux : l'aigle, le taureau, le veau, le bouc, la chèvre, le cheval, l'âne, le cygne, le paon... Dans son rôle infernal, le lion est alors l'emblème de toutes les concupiscences et parfois même de l'hérésie.

Les lions parisiens d'aujourd'hui nous paraissent bien détachés des images des dieux et du Satan d'autrefois. Ils nous semblent désormais toujours aussi puissants, mais plus cruels que justes, plus violents que courageux, plus impulsifs que vigilants, beaucoup plus fiers et aussi plus dangereux que naguère. Sans doute, justement, parce que leurs qualités divines ont disparu. De ce fait, leur représentation actuelle renvoie plutôt à leur image réelle de grands prédateurs, qu'à leurs qualités purement imaginaires.

Cette remarque, valable pour le lion, peut être étendue à l'ensemble des espèces animales.

Lion, hôtel Édouard-VII, 39, avenue de l'Opéra, Ier.

Depuis la Renaissance en effet, on assiste à une diminution du sacré dans la symbolique : l'homme devenant alors le centre du monde. Peut-on aller au-delà et conclure que, de symbolique, l'animal est devenu simple sujet décoratif, simple objet de représentation ?

Non. Car en matière de faune, comme de flore, il n'y a plus guère d'images « innocentes ». Telle fleur ou tel animal figuré par un dessinateur de bande dessinée, par exemple, véhicule, consciemment ou à l'insu aussi bien de l'illustrateur lui-même que du lecteur, un faisceau d'indications cachées, emblématiques, lourd de sens.

Ainsi, la lecture des images, telle celle des mots, recèle-t-elle, elle aussi, sa substantifique moelle.

Une fontaine pour tout un univers

Huit chevaux, quatre dauphins et huit tortues prennent les eaux en haut de l'avenue de l'Observatoire…

Ils ornent la fameuse fontaine des *Quatre parties du monde*, œuvre collective exécutée en bronze sur les plans et sous la direction de l'architecte Gabriel Davioud, en 1875.

Les *Quatre parties du monde* sont composées de quatre personnages représentant *l'Europe, l'Asie, l'Afrique* et *l'Amérique*, œuvres de Jean-Baptiste Carpeaux. Ces figures allégoriques supportent un globe, décoré de signes du zodiaque, sculpté par Eugène Legrain, tandis que les guirlandes qui entourent le piédestal sont de Louis Villeminot.

Quant aux chevaux, dauphins et tortues qui décorent le bassin, ils sont dus au célèbre sculpteur animalier Emmanuel Frémiet (1824-1910), un élève de Rude, auquel on doit, entre autres, le majestueux éléphant au musée d'Orsay.

Globe terrestre, figures allégoriques, signes astrologiques, décorations florales, représentations animales… tout est symbole dans cette fontaine dont les critiques et historiens d'art soulignent unanimement la parfaite homogénéité.

Homogénéité des formes et homogénéité des thèmes, en effet, mais l'on peut se demander pourtant ce que vient faire l'anodine tortue, au rôle relativement mineur dans la symbolique occidentale, face à deux animaux aussi considérables que le cheval et le dauphin ? Généralement assimilés aux dieux mythologiques des anciens et au Dieu unique des chrétiens, le cheval et le dauphin symbolisent respectivement « l'esprit prophétique qui franchit rapidement le temps et l'espace » et « la divinité dans son rôle de guide et d'ami de l'homme ». Mais dans cette trilogie marine (il s'agit en effet ici de chevaux de mer) choisie par Frémiet, les humbles tortues, lentes et régulières comme l'ennui d'après la fable de La Fontaine, ne sont pas là pour mieux mettre en valeur la noble vigueur des chevaux, rapides comme l'éclair, et la joyeuse malice des dauphins, à l'intelligence légendaire, quasi humaine.

En ce qui les concerne, l'artiste se réfère plutôt à une symbolique courante dans les civilisations voisines, qui voient dans la tortue, du fait de sa carapace en forme de dôme, rien moins qu'une représentation de l'univers. En Extrême-Orient, chez certaines peuplades d'Afrique Noire ou tribus d'Indiens d'Amérique du Nord, la tortue, qui constitue à elle seule une *cosmographie* à part entière, est associée généralement à l'idée d'immortalité, de fertilité et de stabilité.

Des animaux pas très nature

L'Homme, dont nous avons souligné précédemment la vanité, et que nous avons volontairement tenu à l'écart de ce livre, ne peut toutefois en être totalement absent, notamment au chapitre des animaux hybrides et fantastiques.

« Chassez le naturel, il revient au galop... », c'est le cas de le dire à propos du centaure, cet animal tout droit échappé de la mythologie grecque, dont la partie supérieure tient de l'homme et la partie inférieure du cheval. Cet habitant monstrueux des forêts, qui se nourrit de chair crue et dont le sport favori consiste à enlever les femmes pour les violer, symbolise *la bête en l'homme*. Le sculpteur César ne peut ignorer que son *Centaure* du carrefour de la Croix-Rouge, un des derniers monuments animaliers apparus dans le paysage parisien, est l'expression imagée de la brutalité bestiale de l'homme, dénuée de toute spiritualité : l'instinct

Centaure, *Hommage à Picasso*, par César, 1988, carrefour de la Croix-Rouge, VIᵉ.

charnel à l'état pur ! D'ailleurs, la sauvage sensualité emblématique du centaure est particulièrement marquée ici par les lourds attributs virils dont l'auteur a doté son œuvre, n'hésitant pas au passage à lui prêter son propre visage… faunesque !

L'artiste méridional se voudrait-il l'héritier, es-provocation, de Pablo Picasso, auquel le monument rend hommage ?

A la complexité des idées correspond une complexité des formes.

Additionnant les animaux aux animaux ou les animaux aux hommes, les espèces hybrides permettent de synthétiser les symboles, complémentaires ou contradictoires, qui sont liés à chacune de leurs composantes.

Mieux qu'un simple emblème, l'animal devient alors plus aisément le support d'un mythe, d'une véritable histoire.

Pégase, *La Renommée des Arts*, par Emmanuel Frémiet, 1898 – 1900, pont Alexandre-III, VIIIᵉ.

Les Grecs se montrèrent particulièrement amateurs de ce procédé. Au sphinx égyptien, corps de lion accroupi à tête humaine, ils ajoutèrent les ailes de l'aigle, rendant ce gardien sacré plus énigmatique encore.

Ils créèrent aussi de toute pièce le cruel Minotaure, à tête de taureau sur un corps d'homme.

Pégase, le cheval ailé, qui accompagne de nombreuses *Renommées* à Paris, serait selon eux le fils de Poséidon et de la Gorgone. Sortant de l'eau et s'élançant d'un trait vers les cieux, grâce au coup de sabot du cheval relayé par les ailes de l'aigle, il symbolise à travers le rapport fécondité-élévation (mer-air), l'imagination créatrice élevée jusqu'au sublime.

Ainsi plusieurs animaux plus ou moins fantastiques, plus ou moins identifiables, ont traversé l'espace et le temps. Parmi ceux qui ont nourri l'imaginaire des artistes et des artisans et dont il reste des traces à Paris, citons encore : la licorne, cheval à corne unique au milieu du front, qui symbolisait les vertus royales dans la Chine ancienne, et fut très prisée dans l'Europe médiévale où elle exprimait la *puissance,* le *faste* et la *pureté.* Le dragon, reptile ailé, symbole de l'Empereur en Chine, devenu dans notre Moyen Age l'incarnation du mal que chacun doit terrasser en soi. Le griffon, oiseau fantastique à bec et à aile d'aigle et au corps de lion, ancienne figure du bien et du mal en Perse, double symbole de *force* et de *sagesse divines* dans l'Occident chrétien. Et le superbe phénix, oiseau mythique, d'une splendeur sans égale, originaire probablement d'Éthiopie. Symbole de *régénération* et, partant, d'*immortalité,* cet oiseau fabuleux, qui a le pouvoir de renaître de ses cendres, sera tout naturellement associé dans le monde chrétien à la *réincarnation* du Christ.

Cycles architecturaux et cycles animaliers

Les architectes passent, certaines bâtissent demeurent.

L'architecture obéit à des cycles plus ou moins longs, qui voient se succéder au fil des temps différents styles. Selon les époques, les construc-

Dragon, immeuble à l'angle des rues du Dragon et de Grenelle, VIᵉ.

«Dinosaure-dragon», square Blomet, 45, rue Blomet, XVe.

tions se singularisent par un décor tantôt chargé en ornementations de toutes sortes et tantôt dépouillé. Principalement dans leur partie la plus visible : la façade.

Dans le genre « chargé », on peut placer le Moyen Age et même la Renaissance. Les arts roman et gothique ont légué à la capitale de nombreux témoignages, principalement religieux, où l'on peut encore admirer plusieurs représentations d'animaux, surtout fantastiques ainsi que nous l'avons déjà souligné.

Il semble, d'après ces indices, que l'homme médiéval ait connu de grandes frayeurs ?

Animaux préhistoriques, mur peint par Bryan Becheri, 223, rue d'Alésia, XIVe.

La Renaissance, plus souriante, a orné ses principales résidences d'animaux familiers, évocateurs des riches heures de la chasse notamment, tel l'élégant cerf, symbole de la fécondité des rythmes de croissance et des… renaissances, ou encore emblématiques et héraldiques, comme la fameuse salamandre de François Ier, succédané du triton, capable d'éteindre les feux les plus redoutables.

La période architecturale classique des XVIIe et XVIIIe siècles est à ranger quant à elle dans le genre « dépouillé » : lignes épurées, effet de symétrie, décor extérieur frappé du sceau de la simplicité. Une simplicité particulièrement sophistiquée néanmoins.

De cette époque, on retiendra surtout les lions et les sphinx qui flanquent l'entrée de plusieurs hôtels particuliers du Marais et du faubourg Saint-Germain.

Le bref intermède néo-classique du premier Empire, tout aussi sobre, a cependant essaimé, en divers points de la capitale, les abeilles et l'aigle napoléoniens. L'aigle, roi des oiseaux et maître des airs, qui peut seul oser fixer le soleil sans se brûler les yeux, attribut tout aussi bien de Zeus que du Christ, et emblème impérial par excellence, accouplé aux industrieuses abeilles, infatigables et disciplinées, qui symbolisent les masses soumises à l'inexorabilité du destin, transformant en miel l'éphémère parfum des fleurs.

Paris, capitale animalière du XIXe siècle

Et puis le XIXe siècle vint.

Un siècle qui, comme chacun le sait, s'achèvera avec la Première Guerre mondiale et marquera durablement de son empreinte le paysage parisien. A tel point que pour certains, Paris demeure la capitale du XIXe siècle.

Depuis l'époque de Louis-Philippe notamment, jusqu'à la IIIe République, en passant par le cataclysme haussmannien du second Empire, Paris fut le théâtre de titanesques tranformations qui s'accompa-

Licornes, cimetière du Père-Lachaise, XXᵉ.

gnèrent d'autant de témoignages ornementaux à la gloire de la bourgeoisie triomphante. Palais nationaux et municipaux, immeubles particuliers, rues, places, jardins, cimetières… récoltèrent les fruits d'une infinité de commandes publiques et privées. Promoteurs, architectes, artistes plasticiens, tailleurs de pierre, fondeurs, artisans travaillèrent de concert, comme jamais jusqu'alors, à l'embellissement de la capitale.

Le XIXᵉ siècle marque l'avènement de la sculpture française.

A cette époque, les sculpteurs sont parfois peintres. Et inversement. Ils sont toujours figuratifs. Le plus souvent, ils puisent leur inspiration d'après nature. Il arrive que certains d'entre eux prennent le chemin du jardin des Plantes, où ils dessinent minutieusement les différents spécimens qui hantent la ménagerie. On les appelle les *animaliers*.

Dans la lignée des grands statuaires équestres des deux siècles précédents, tel François Girardon (1628-1715) auquel on doit le superbe groupe du Bosquet des Bains d'Apollon à Versailles ou encore Antoine Coysevox (1640-1720) et Guillaume Coustou (1677-1746), les célèbres auteurs des Chevaux de Marly de la place de la Concorde, ceux-ci se distinguent par l'étendue de leur palette animalière. L'exotisme est à la mode, tandis que la France se dote d'un empire colonial qui va de l'Asie jusquà l'Afrique noire. C'est aussi le règne du « Enrichissez-vous ». La révolution industrielle vide les campagnes au profit des grandes villes. Dans le même temps, les rues, les jardins, les fontaines, les monuments et les façades des immeubles de Paris accueillent de nouveaux habitants : rhinocéros, serpents, crocodiles, éléphants, ours, tigres, panthères et encore des lions, mais aussi des veaux, des vaches, des poissons, des oiseaux, des chiens, des chats et toujours des chevaux, des chevaux, des chevaux…

Dans son magnifique album illustré, *Les Chevaux de Paris*, Marc Gaillard a recensé 110 monuments parisiens à thème équestre : pour la seule colonne Vendôme, dont les bas-reliefs en spirale relatent les hauts faits des troupes napoléoniennes en 1805 et 1806, on dénombre plusieurs centaines de chevaux fondus dans le bronze des canons pris aux Russes et aux Autrichiens à la bataille d'Austerlitz.

Aujourd'hui, ces milliers de chevaux de pierre et de bronze ne mettent-ils pas en relief la disparition de cet animal des rues de la capitale, nous invitant à mieux nous souvenir qu'à la fin du XIXe siècle, la cavalerie parisienne en comptait plus de 100 000 à elle seule ?

Parmi les sculpteurs animaliers du XIXe siècle, outre Frémiet déjà évoqué, il nous faut citer Antoine Louis Barye (1795-1875). Cet artiste prolixe, très reconnu de son vivant, et auquel un square et un monument rendent hommage à la pointe occidentale de l'île Saint-Louis, aurait proposé de coiffer le sommet de l'Arc de Triomphe d'un aigle colossal de deux mètres de hauteur. A défaut de ce projet avorté, on peut voir de lui à Paris les aigles impériales qui ornent les piles du pont d'Iéna, le *Lion aux serpents* des Tuileries ou encore des mufles de lion, un lion marchant en bas-relief et des coqs gaulois en divers endroits du socle et de la colonne de Juillet à la Bastille.

Tout aussi prestigieux, son confrère Auguste Cain (1822-1894), dont les deux taureaux placés à l'entrée du parc Georges-Brassens ornaient à

Chevaux, détail de la Colonne Vendôme, 1806, place Vendôme, Ier.

l'origine les jardins du Trocadéro, est également l'auteur de trois imposants groupes en bronze aux Tuileries : *Lion et lionne se disputant un sanglier*, *Rhinocéros attaqué par les tigres* et *Tigre portant un paon à ses petits* et du non moins imposant *Lion de Nubie à sa proie*, en bronze, au jardin du Luxembourg.

De Pierre Louis Rouillard (1820-1881), ancien élève de Jean-Pierre Cortot, qui excella dans l'art animalier et participa à la décoration de plusieurs monuments parisiens – Louvre, Opéra, Museum... –, on peut admirer le très expressif *Cheval à la herse*, commandé pour les jardins du Trocadéro à l'occasion de l'Exposition universelle de 1878 et installé désormais sur le parvis du musée d'Orsay.

A son voisinage, le *Rhinocéros*, en fonte, de Henri Alfred Jacquemart (1824-1916), autre animalier de talent auquel on doit les huit hiératiques félins de la fontaine aux Lions, place Félix-Eboué, les sphinx en pierre de la fontaine du Châtelet et les redoutables dragons de la fontaine Saint-Michel.

Aujourd'hui et demain

Admirés en leur temps, ces artistes et leurs épigones, dont l'influence s'exerça jusqu'à la première moitié du XXe siècle, sont aujourd'hui bien oubliés.

Avec ses immeubles barres et ses tours de verre et d'acier, notre époque se distingue par une ornementation particulièrement minimaliste, qui confine quasiment au degré zéro de la sculpture décorative.

Néanmoins, les jardins et les rues de la capitale se sont enrichies de nouvelles fontaines et statues.

Mais ces dernières décennies, les artistes ont abandonné de plus en plus la représentation figurative au profit du travail sur les formes, les matières et les techniques nouvelles, la beauté abstraite, l'art pour l'art, la recherche esthétique motivant désormais le geste du sculpteur.

Fini les animaux sauvages, fantastiques ou domestiques à Paris ?

Que les amateurs du genre se rassurent. Ces dernières années, un mouvement s'est esquissé, qui semble renouer avec une certaine tradition, sans pour autant tomber dans le passéisme. Oui, il est possible de décorer les façades des immeubles et de redonner des formes identifiables aux œuvres plastiques en toute modernité.

De plus en plus d'architectes et de sculpteurs partagent l'opinion de Christian de Portzamparc qui prédit que « La ville à venir tiendra plus du zoo avec des chats, des chiens, des girafes et des tigres, que de la caserne. »

En attendant, on peut toujours aller admirer les drôles d'animaux — éléphant, serpent, oiseau —, ludiques et colorés, de Niki de Saint-Phalle à la fontaine Igor-Stravinsky, près du Centre Beaubourg ; *l'Envol*, un superbe groupe de mouettes en acier, par Étienne, à la Défense ; l'horloge à automates (dragon, coq, crabe) intitulée *Le Défenseur du temps*, de Jacques Monestier, dans le quartier de l'Horloge ; le chat gris prêt à sauter sur les passants, peint en trompe-l'œil par Pavel Svetlana au 49, rue des Solitaires…

Comme leurs prédécesseurs, ces dernières recrues du bestiaire parisien nous adressent un message qui requiert, pour être décodé, la sagacité et la patience d'un véritable Champol…lion !

Animal fantastique, par Niki de Saint-Phalle, *Fontaine Stravinsky*,
(Niki de Saint-Phalle et Jean Tinguely), 1983, place Igor-Stravinsky, IVᵉ.

Le monde aquatique

Baleine, par Michel Le Corre, 1982, square Saint-Éloi, 1-17, rue du Colonel-Rozanoff, XIIe.

Pieuvre, Institut océanographique, 1910, 195, rue Saint-Jacques, Vᵉ.

« Encore un peu de temps, et l'on ne verra plus
Ces grands rois de la mer, cachalot et baleine
Dont le corps semble une île, et qui, pour prendre haleine,
Font jaillir de leur front des jets d'eau chevelus. »

Jean Richepin,
La Mer.

Homard, étoile de mer et coquillages, Institut océanographique, 1910,
195, rue Saint-Jacques, Vᵉ.

« Un crabe, sous n'importe quel autre nom,
n'oublierait pas la mer. »

Paul Éluard,
132 proverbes.

Crabe et anémones de mer, *L'Apport des territoires d'outre-mer à la mère patrie
et à la civilisation*, (détail), par Alfred Janniot, 1931, musée des Arts africains et océaniens,
293, avenue Daumesnil, XIIᵉ.

Dauphins, candélabre par Victor Baltard, Pont-Neuf, Ier et VIe.

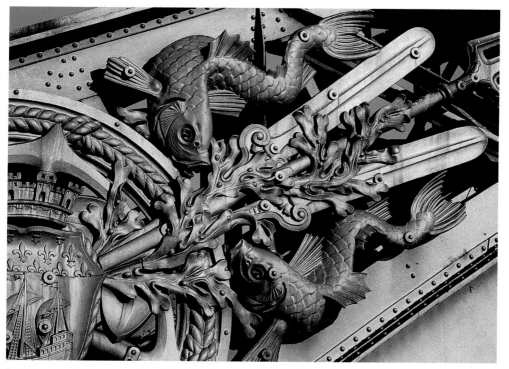

Poissons et algues, par Jean-Camille Formigé, 1903 – 1904, viaduc d'Austerlitz, XIIIe.

« De sa splendide écaille éteignant les émaux,
Un grand poisson navigue à travers les rameaux.
Dans l'ombre transparente indolemment il rôde ;

« Et brusquement, d'un coup de sa nageoire en feu,
Il fait, par le cristal morne, immobile et bleu,
Courir un frisson d'or, de nacre et d'émeraude. »

Jose-Maria de Heredia,
Récifs de corail.

Grenouille, *La Seine et ses affluents*, par Raoul Larches, (détail), 1910, bassin nord du Grand-Palais, avenue du Général-Eisenhower, VIIIe.

« Nous t'estimons une Déesse,
Gente Grenouille, qui sans cesse
Au fonds des ruisselets herbeux
Te désaltères quand tu veux. »

Pierre de Ronsard,
La grenouille.

Crapaud, 4, rue Puvis-de-Chavannes, XVIIᵉ.

Dauphin, Éditions Robert Laffond, 24, avenue Marceau, VIIIe.

Les dauphins, les baleines et le goujon

Des dauphins et des baleines se livraient bataille. Comme la lutte se prolongeait et devenait acharnée, un goujon (c'est un petit poisson) s'éleva à la surface et essaya de les réconcilier. Mais un des dauphins prenant la parole lui dit : « Il est moins humiliant pour nous de combattre et de périr les uns par les autres que de t'avoir pour médiateur. »

De même certains hommes qui n'ont aucune valeur, s'ils tombent sur un temps de troubles publics, s'imaginent qu'ils sont des personnages.

Ésope,
Fables.

40

Dauphin, par Emmanuel Frémiet, détail de la fontaine *Les Quatre parties du monde*,
(architecte Gabriel Davioud, sculpteurs Carpeaux, Frémiet, Villeminot), 1875,
jardin Marco-Polo, avenue de l'Observatoire, VIe.

Tête de dauphin, *La Marine marchande* (détail), par François Jouffroy, 1868,
guichets du Carrousel, quai du Louvre, Ier.

Crocodile, école maternelle, 11, rue Andrea-del-Sarte, XVIIIᵉ.

Crocodile, par Pierre Pomateau, détail de la fontaine Cuvier, 1840 – 1846,
angle rue Linné – rue Cuvier, Ve.

Ah ! les cro-co-co, les cro-co-co, les cro-co-di-les
Sur les bords du Nil ils sont partis n'en parlons plus !

Ah ! les cro-co-co, les cro-co-co, les cro-co-di-les
Sur les bords du Nil ils sont partis n'en parlons plus !

Chanson enfantine.

Tortue, *La Seine et ses affluents* (détail), par Raoul Larche, 1910,
bassin nord du Grand-Palais, avenue du Général-Eisenhower, VIIIe.

Tortues, cimetière du Père-Lachaise 1ère div., XXe.

Tortue, par Emmanuel Frémiet, détail de la fontaine *Les Quatre parties du monde*,
(architecte Gabriel Davioud, sculpteurs Carpeaux, Frémiet, Villeminot), 1875,
jardin Marco-Polo, avenue de l'Observatoire, VIᵉ.

« Cette pauvre petite est à m'obéir d'une lenteur
de tortue. »

Honoré de Balzac.

Dauphin, détail de la fontaine du square Henri-Christiné, place de la République, X^e.

Chevaux marins, détail d'un candélabre, place de la Concorde, VIIIe.

Hippocampes, Institut océanographique, 1910, 195, rue Saint-Jacques, V[e].

Lion, par Henri-Alfred Jacquemart, détail de la fontaine aux Lions,
(architecte Gabriel Davioud, sculpteurs Jacquemart et Villeminot),
1862, place Félix-Éboué, XIIᵉ.

La terre des mammifères

Lion, 17, avenue de Villars, VIIe.

Le lion devenu vieux

Le lion, terreur des forêts,
Chargé d'ans et pleurant son antique prouesse,
Fut enfin attaqué par ses propres sujets,
    Devenus forts par sa faiblesse.
Le cheval s'approchant lui donne un coup de pied ;
Le loup, un coup de dent ; le bœuf, un coup de corne.
Le malheureux lion, languissant, triste, et morne,
Peut à peine rugir, par l'âge estropié.
Il attend son destin, sans faire aucunes plaintes ;
Quand voyant l'âne même à son antre accourir :
« Ah ! c'est trop, lui dit-il ; je voulais bien mourir ;
Mais c'est mourir deux fois que souffrir tes atteintes. »

Jean de La Fontaine,
Fables.

Lion, par François Derré, détail de la fontaine des Quatre-Évêques (architecte Louis Visconti, sculpteurs Feuchère, Lanno, Fauginet, Desprez, Derré), 1847, place Saint Sulpice, VIᵉ.

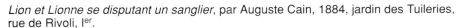

Lion et Lionne se disputant un sanglier, par Auguste Cain, 1884, jardin des Tuileries, rue de Rivoli, Iᵉʳ.

Lionne, détail de la fontaine, place de la Fontaine-aux-Lions à la Villette, 1815,
avenue Jean-Jaurès, XIXe.

Lion, *Le Triomphe de la République* (détail), par Jules Dalou, 1899, place de la Nation, XIIᵉ.

« Dans une fosse comme un ours
Chaque matin je me promène
Tournons tournons tournons toujours. »

Guillaume Apollinaire.

Ours blanc, peint en 1992, 17, rue des Boulangers, V^e.

Le Dénicheur d'oursons (détail), par Emmanuel Frémiet, jardin des Plantes, V^e.

Cour de l'Ours, 95, rue du Faubourg-Saint-Antoine, XIe.

Jeune éléphant pris au piège, par Emmanuel Frémiet, parvis du musée d'Orsay, 1, rue de Bellechasse, VIIᵉ.

Reconstitution d'un mammouth, galerie d'Anatomie, jardin des Plantes, rue Buffon, V^e.

Rhinocéros, par Henri-Alfred Jacquemart, parvis du musée d'Orsay, 1, rue de Bellechasse, VIIe.

Hippopotames, jardin zoologique du jardin des Plantes, quai Saint-Bernard, Ve.

Rhinocéros, *L'Apport des territoires d'outre-mer à la mer patrie et à la civilisation* (détail), par Alfred Janniot, 1931, musée des Arts africains et océaniens, 293, avenue Daumesnil, XIIᵉ.

Gorille, Institut de Paléontologie humaine, 1912, rue René-Panhard, XIIIe.

Le chameau, l'éléphant et le singe

Les bêtes délibéraient sur le choix d'un roi. Le chameau et l'éléphant se mirent sur les rangs et se disputèrent les suffrages, espérant être préférés aux autres, grâce à leur haute taille et à leur force. Mais le singe les déclara l'un et l'autre impropres à régner : « le chameau, dit-il, parce qu'il n'a point de colère contre les malfaiteurs, et l'éléphant, parce qu'il est à craindre qu'un goret, animal dont il a peur, ne vienne nous attaquer. »

Cette fable montre qu'une petite cause ferme parfois l'accès des grands emplois.

Esope,
Fables.

Singe, hôtel de Cluny, 6, place Paul-Painlevé, Ve.

Bison, *Hercule domptant un bison* (détail), par Albert Pommier, palais de Chaillot, place du Trocadéro, XVIᵉ.

Zèbre, cinéma *Le Berri*, 63, boulevard de Belleville, XIe.

Chevaux, *La Paix conduite sur un char de triomphe*, par François-Joseph Bosio, 1828, arc de triomphe du Carrousel, Ier.

« Tel fut ce roi des bons chevaux,
Rossinante, la fleur des coursiers d'Ibérie,
Qui, trottant jour et nuit et par monts et par vaux,
Galopa, dit l'histoire, une fois en sa vie. »

Nicolas Boileau,
Poésies diverses.
Sur un portrait de Rossinante,
cheval de Don Quichotte.

64

Les Chevaux de Marly (détail), par Guillaume Coustou, 1745, place de la Concorde, côté avenue des Champs-Élysées, VIIIe.

Cheval, place Lucien-Herr, V^e.

Chevaux, par Emmanuel Frémiet, détail de la fontaine *Les Quatre parties du monde*,
(architecte Gabriel Davioud, sculpteurs Carpeaux, Frémiet, Villeminot), 1875,
jardin Marco-Polo, avenue de l'Observatoire, VIe.

Chevaux, immeuble des Presses Universitaires de France, 108, boulevard Saint-Germain, VIᵉ.

« Tournez, tournez, bons chevaux de bois
Tournez cent tours, tournez mille tours,
Tournez souvent et tournez toujours,
Tournez, tournez au son des hautbois. »

Paul Verlaine,
Chevaux de bois.

Tête de cheval, enseigne de boucherie chevaline, 89, rue Cambronne, XVe.

Chevaux, *Jeux du cirque* (détail), par Eugène Guillaume, 1852,
Cirque d'Hiver, place Pasdeloup, XIᵉ.

J'aime l'âne

J'aime l'âne si doux
Marchant le long des houx.

Il prend garde aux abeilles
Et bouge ses oreilles ;
...
Il réfléchit toujours.
Ses yeux sont en velours.

Francis Jammes,
De l'angélus de l'aube
à l'angélus du soir.

Ane, par François-Xavier Lalanne, 1992, parc Georges-Brassens, rue des Morillons, XVe.

Taureau, par Auguste Cain, parvis du parc Georges-Brassens, rue des Morillons, XVᵉ.

Les deux taureaux et la grenouille

Deux taureaux combattaient à qui posséderait
   Une génisse avec l'empire.
   Une grenouille en soupirait.
« Qu'avez-vous ? se mit à lui dire
   Quelqu'un du peuple coassant.
   – Eh ! ne voyez-vous pas, dit-elle,
   Que la fin de cette querelle
Sera l'exil de l'un ; que l'autre, le chassant,
Le fera renoncer aux campagnes fleuries ?
Il ne régnera plus sur l'herbe des prairies
Viendra dans nos marais régner sur les roseaux ;
Et, nous foulant aux pieds jusques au fond des eaux,
Tantôt l'une, et puis l'autre, il faudra qu'on pâtisse
Du combat qu'a causé madame la génisse. »

Cette crainte était de bon sens.
L'un des taureaux en leur demeure
S'alla cacher à leurs dépens :
Il en écrasait vingt par heure.

Hélas ! on voit que de tout temps
Les petits ont pâti des sottises des grands.

Jean de La Fontaine,
Fables.

Bœuf, boucherie, 128, avenue de Choisy, XIIIᵉ.

Tête de bélier, hôtel des Beaux-Arts, rue des Beaux-Arts, VIᵉ.

Mouton, *Le Soir* (détail), par Hector Lemaire, jardin des Tuileries, Ier.

« Le cheval ne mange pas de jockey
Le tigre ne mange pas de saumon
L'agneau ne mange pas de Pascal. »

Jacques Prévert,
Fatras.

Le Cochon à plumes, enseigne, 24, rue Cauchy, XVᵉ.

Le cochon et les moutons

Un cochon s'étant mêlé à un troupeau de moutons paissait avec eux. Or un jour le berger s'empara de lui ; alors il se mit à crier et à regimber. Comme les moutons le blâmaient de crier et lui disaient : « Nous, ils nous empoigne constamment, et nous ne crions pas », il répliqua : « Mais quand il nous empoigne, vous et moi, ce n'est pas dans la même vue ; car vous, c'est pour votre laine ou votre lait qu'il empoigne ; mais moi, c'est pour ma chair. »

Cette fable montre que ceux-là ont raison de gémir qui sont en risque de perdre, non leur argent, mais leur vie.

Ésope,
Fables.

Tête de sanglier, hôtel du Grand-Veneur, 60, rue de Turenne, IIIe.

Le Lapin Agile, 22, rue des Saules, XVIIIᵉ.

« Nous sommes les tendres lapins
Assis sur leurs petits derrières. »

Théodore de Banville,
Sonnailles et clochettes. Lapins.

Harde de cerfs, par Arthur Le Duc, 1886, jardin du Luxembourg, VIe.

Gazelle, par Marguerite Bayser, 1930, square Henry-Bataille, boulevard Suchet, XVIᵉ.

Kangourou, *L'Australie* (détail), par Durenne, parvis du musée d'Orsay,
1, rue de Bellechasse, VIIᵉ.

À la Civette, enseigne, place Colette, Ier.

Rats, 35, rue Fortuny, XVIIe.

« Écureuil, queue touffue, doré trésor des bois,
ornement de la vie et fleur de la nature,
juché sur ton pin vert, dis-nous ce que tu vois ?
– La terre qui poudroie sous des pas qui murmurent. »

Paul Fort,
L'écureuil.

Écureuils, 72, avenue de Versailles, XVIe.

Chat, 42, boulevard Auguste-Blanqui, XIIIᵉ.

hat et rats, 19, rue du Mont-Cenis, XVIIIᵉ.

« Un petit chat bien élevé ne doit pas jouer avec
une souris qui ne lui a pas été présentée. »

Jacques Prévert,
Fatras.

Au Chat Gourmand, enseigne, 4, rue Frédéric-Sauton, Vᵉ.

Molosse, par André Abbal, 1934, Mobilier national, rue Berbier-du-Mets, XIIIe.

Les chats

« Les amoureux fervents et les savants austères
Aiment également, dans leur mûre saison,
Les chats puissants et doux, orgueil de la maison,
Qui comme eux sont frileux et comme eux sédentaires... »

Charles Baudelaire,
Les fleurs du mal.

Chien, *Paul et Virginie*, Monument à Bernardin de Saint-Pierre (détail), par Louis Holweck, 1907, jardin des Plantes, Vᵉ.

Le Chien, par René Paris, 1928, square Saint-Lambert, XVe.

Chien

« Sonnettes, bras ballants, on ne vient pas jusqu'ici,
Sonnettes, portes ouvertes, rage de disparaître.
    Tous les chiens s'ennuient
    Quand le maître est parti. »

Paul Éluard,
Les animaux et leurs hommes,
les hommes et leurs animaux.

Chien, cimetière Saint-Vincent, 14e div., XVIIIe.

Chien, *La Jeunesse* (détail), par Pierre Poisson, jardin du palais de Chaillot, XVIe.

La Louve romaine, réplique de celle du Capitole, offerte par la Ville de Rome en 1962, square Paul-Painlevé, V^e.

Loup, 268, boulevard Saint-Germain, VIe.

Porc-épic, 82, boulevard de Latour-Maubourg, VIIe.

Le renard, les mouches et le hérisson

Aux traces de son sang, un vieux hôte des bois,
   Renard fin, subtil et matois,
Blessé par des chasseurs et tombé dans la fange,
Autrefois attira ce parasite ailé
   Que nous avons mouche appelé.
Il accusait les Dieux, et trouvait fort étrange
Que le sort à tel point le voulût affliger
   Et le fît aux mouches manger.
« Quoi ! se jeter sur moi, sur moi le plus habile
   De tous les hôtes des forêts !
Depuis quand les renards sont-ils un si bon mets ?
Et que me sert ma queue ? est-ce un poids inutile ?
Va, le ciel te confonde, animal importun !
   Que ne vis-tu sur le commun ? »
   Un hérisson du voisinage,
   Dans mes vers nouveau personnage,

Hérisson, Parc floral de Paris, XIIᵉ.

Voulut le délivrer de l'importunité
　　Du peuple plein d'avidité :
« Je les vais de mes dards enfiler par centaines,
Voisin renard, dit-il, et terminer tes peines.
– Garde-t'en bien, dit l'autre ; ami, ne le fais pas :
Laisse-les, je te prie, achever leur repas.
Ces animaux sont soûls ; une troupe nouvelle
Viendrait fondre sur moi, plus âpre et plus cruelle. »

Nous ne trouvons que trop de mangeurs ici-bas :
Ceux-ci sont courtisans, ceux-là sont magistrats.
Aristote appliquait cet apologue aux hommes,
Les exemples en sont communs,
Surtout au pays où nous sommes.
Plus telles gens sont pleins, moins ils sont importuns.

Jean de La Fontaine,
Fables.

Lézard, immeuble de Lavirotte, 29, avenue Rapp, VIIe.

« Le long d'un chemin creux que nul arbre n'égaie,
Un grand champ de blé mûr, plein de soleil, s'endort. (...)

Passe un insecte bleu vibrant dans la lumière,
Et le lézard s'éveille et file, étincelant, (...) »

Jean Richepin,
Le chemin creux.

Lézard, sous le pont Alexandre-III, VIIIe.

"MÈRE"
"VOICI VOS FILS"
"QUI SE SONT"

Serpent, 5, rue Bonaparte, VIᵉ.

Serpents, *La France*, par Antoine Bourdelle, 1937 – 1948, musée d'Art moderne de la Ville de Paris, quai de New-York, XVIᵉ.

Escargot, porche de l'hôtel de Cluny, 6 place Paul-Painlevé, Vᵉ.

Escargot, 38, rue Montorgueil, Ier.

...
l'escargot est fier
sous son chapeau d'or
son cuir est calme
avec un rire de flore
il porte son fusil de gélatine
...

Hans Arp,
Bestiaire sans prénom.

Ver à soie, 102, rue Réaumur, IIe.

Araignée, 19, rue du Mont-Cenis, XVIIIe.

Araignée

« Découverte dans un œuf,
L'araignée n'y entrera plus. »

Paul Éluard,
*Les animaux et leurs hommes,
les hommes et leurs animaux.*

Scorpion, immeuble à l'angle des rues de Douai et Blanche, IXe.

L'Oiseau lunaire, par Joan Miro, 1975, square Blomet, 45, rue Blomet, XVe.

L'air de Paris

Aigle, détail de la Colonne Vendôme, place Vendôme, Ier.

« L'aigle vole au soleil, le vautour à la tombe,
L'hirondelle au printemps, et la prière au ciel ! »

Victor Hugo,
Les feuilles d'automne.

Aigle, Opéra Garnier, place de l'Opéra, IXe.

Chauve-souris, cimetière du Père-Lachaise, avenue principale, XXᵉ.

Les Vautours, par Louis de Monard, 1930, square des Batignolles, place Charles-Fillion, XVIIᵉ.

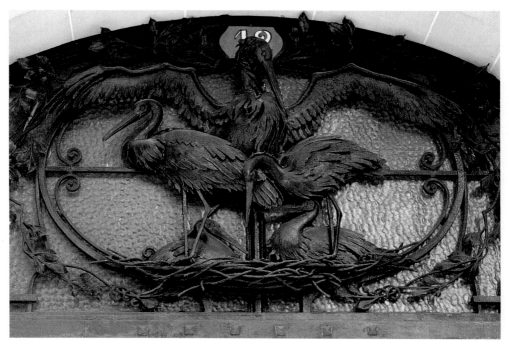

Cigognes, 12 bis, avenue Elisée-Reclus, VIIe.

Héron, cimetière du Père-Lachaise, E. Geoffroy Saint-Hilaire, 19e div., XXe.

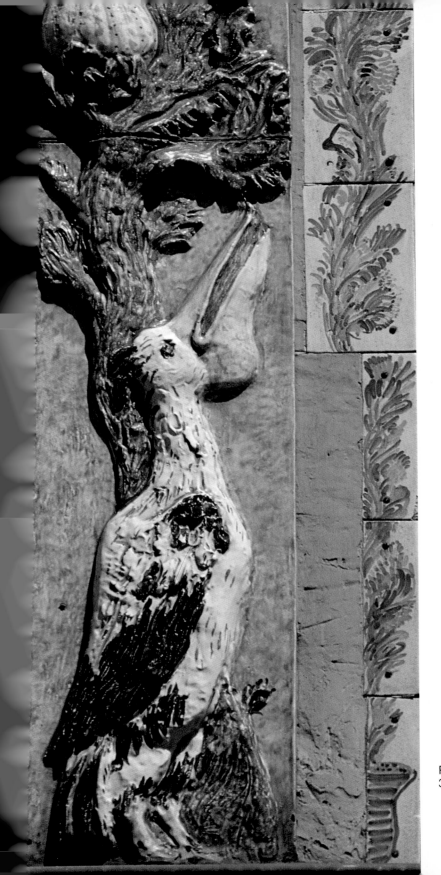

Pélican, *Be Bop*,
32, rue Saint-Antoine, IVe.

Cygne, détail de la *Fontaine Dejean*, par Jean-Camille Formigé, 1906, place Pasdeloup, XIᵉ.

Gargouilles, cathédrale Notre-Dame, IVe.

Vautour, cimetière du Père-Lachaise, XXᵉ.

Hibou, *Monument à Alfred de Musset* (détail), par Alfred Moncel, 1910, square Jean-Perrin, cours-la-Reine, VIIIe.

Grand-duc, immeuble de Viollet-le-Duc, 68, rue Condorcet, IXe.

Les hiboux

« Sous les ifs noirs qui les abritent,
Les hiboux se tiennent rangés,
Ainsi que des dieux étrangers,
Dardant leur œil rouge. Ils méditent. »

Charles Baudelaire,
Les fleurs du mal.

Coq, Bibliothèque nationale, rue Vivienne, IIe.

Coq, *Colonne de Juillet* (détail),
par Antoine-Louis Barye, place de la Bastille, IVe.

Grille du Coq, 1900, palais de l'Élysée, avenue Gabriel, VIIIe.

« Un coq y paraissait en pompeux équipage,
Qui changeant tout à coup et d'état et de nom,
Par tous les conviés s'est appelé chapon. »

Nicolas Boileau,
Satire.

Poules et coq, restaurant, angle des rues Guillaume-Apollinaire et Saint-Benoît, VIᵉ.

« Vous prenez un melon de Honfleur pour le torse,
Pour les deux jambes, deux asperges d'Argenteuil,
Pour la tête, un piment de Bayonne. Pour l'œil
Une groseille de Bar-le-Duc. Pour la queue
Un poireau de Rouen, tordant sa gerbe bleue,
Pour l'oreille, ô Soissons, un petit haricot,
Ça y est : c'est un coq ! »

Edmond Rostand,
Chantecler.

Animaux de basse-cour, 25, rue du Vieux-Colombier, VIe.

Couple de colombes, *Artémis* (détail), par Charles Dupaty, 1810, jardin des Plantes, rue Geoffroy-Saint-Hilaire, Vᵉ.

Couple de merles, 56, quai d'Orsay, VIIe.

Oiseau exotique, 28, rue Saint-Sulpice, VIᵉ.

Pigeon voyageur, 29, rue de Bellechasse, VIIᵉ.

« Le poète est semblable aux oiseaux de passage
Qui ne bâtissent point leur nid sur le rivage,
Qui ne se posent point sur les rameaux des bois ;
Nonchalamment bercés sur le courant de l'onde,
Ils passent en chantant loin du bord, et le monde
Ne connaît rien d'eux que leur voix. »

Alphonse de Lamartine,
Nouvelles méditations.

Paon, 30, avenue Marceau, VIIIe.

Perroquet, 5, cour du Commerce-Saint-André, VIᵉ.

Oiseaux, 30, cours Albert-Ier, VIIIe.

Le Geai paré des plumes du Paon

« Un Paon muoit : un Geai prit son plumage ;
  Puis après se l'accommoda ;
Puis parmi d'autres Paons tout fier se panada,
  Croyant être un beau personnage.
Quelqu'un le reconnut : il se vit bafoué,
  Berné, sifflé, moqué, joué,
Et par Messieurs les Paons plumé d'étrange sorte ;
Même vers ses pareils s'étant réfugié,
  Il fut par eux mis à la porte.

Il est assez de geais à deux pieds comme lui,
Qui se parent souvent des dépouilles d'autrui,
  Et que l'on nomme plagiaires.
Je m'en tais, et ne veux leur causer nul ennui :
  Ce ne sont pas là mes affaires. »

Jean de La Fontaine,
Fables.

Colombes, cimetière du Père-Lachaise, XXᵉ.

Colombes, 62, rue de l'Hôtel-de-Ville, IVᵉ.

Oiseaux de mer, *L'Apport des territoires d'outre-mer à la mère patrie et à la civilisation* (détail), par Alfred Janniot, 1931, musée des Arts africains et océaniens, 293, avenue Daumesnil, XIIe.

« Ils remplissent le ciel de musique et de joie ;
La jeune fille embaume et verdit leur prison,
L'enfant passe la main sur leur duvet de soie,
Le vieillard les nourrit au seuil de sa maison. »

Alphonse de Lamartine,
Les oiseaux.

Nichée, 28, avenue d'Eylau, XVIe.

Scarabées, 103-105, rue Jouffroy, XVIIᵉ.

« Ils ont dans leurs plumiers des gommes
Et des hannetons du matin
Dans leurs poches du pain des pommes
Des billes ô précieux butin
Gagné sur d'autres petits hommes. »

Maurice Fombeure,
Les écoliers.

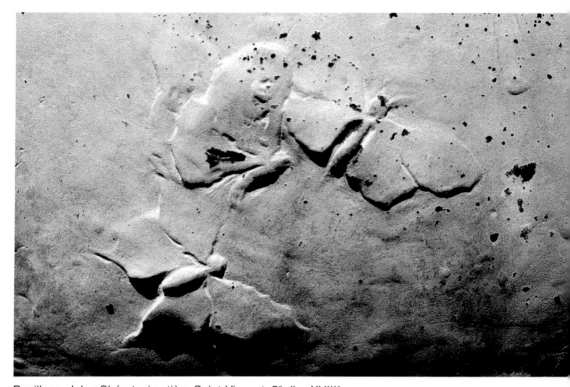

Papillons, Jules Chéret, cimetière Saint-Vincent, 5e div., XVIIIe.

...
le papillon empaillé
devient un papapillon empapaillé
le papapillon empapaillé
devient un grandpapapillon grandempapaillé
...

Hans Arp,
Bestiaire sans prénom.

Abeilles, cimetière du Père-Lachaise, 19ᵉ div., XXᵉ.

Abeille ou guêpe, cimetière du Père-Lachaise, XXᵉ.

1er ARRt
RUE
COQ HÉRON

11e Arrt
IMPASSE
DE LA
BALEINE

DÉFENSE
DE DÉPOSER
DES ORDURES
SOUS PEINE D'AMENDE
REGLEMENT SANITAIRE DU DEPARTEMENT DE PARIS
(ARRÊTE N° 79-561 DU 20 NOVEMBRE 79)

3e Arrt
RUE
DU
PAS DE LA MULE

6me ARRt
RUE DES
CANETTES.

RUE
DES
ALOUETTES

Répertoire des rues actuelles dans Paris dont le nom est un nom d'animal ou renvoie à un nom d'animal

Rue du	PELICAN	1er
Rue du	CYGNE	1er
Rue du	COQ HERON	1er
Passage du	GRAND CERF	2e
Passage du pont aux	BICHES	3e
Rue du pas de la	MULE	3e
Rue des	OISEAUX	3e
Rue aux	OURS	3e
Impasse du	BŒUF	4e
Rue de la	COLOMBE	4e
Rue des	LIONS St Paul	4e
Passage des	SINGES	4e
Rue du	RENARD	4e
Impasse des	BŒUFS	5e
Rue du	CHAT qui pêche	5e
Impasse du marché aux	CHEVAUX	5e
Rue des	CANETTES	6e
Rue du	DRAGON	6e
Rue de	L'HIRONDELLE	6e
Avenue du	COQ	9e
Cité	HERON	10e
Impasse de la	BALEINE	11e
Passage du	CHEVAL Blanc	11e
Cour du	COQ	11e
Cour des	LIONS	11e
Cour de l'	OURS	11e

Rue de la brèche aux	LOUPS	12e
Passage du	CHAROLAIS	12e
Rue du	CHAROLAIS	12e
Rue du champ de l'	ALOUETTE	13e
Rue de la butte aux	CAILLES	13e
Allée des	CYGNES	15e
Square du pré aux	CHEVAUX	16e
Passage du	PETIT CERF	17e
Rue de la haie	COQ	19e
Rue des	ALOUETTES	19e
Place de la fontaine aux	LIONS	19e
Square de la	SALAMANDRE	20e

Mais aussi des noms de personnes ayant un patronyme animalier :

Rue	CHAPON	3e
Boulevard	BOURDON	4e et 12e
Rue et square	ORTOLAN	5e
Rue	CORNEILLE	6e
Rue	PAPILLON	9e
Impasse	CORNEILLE	16e
Rue	POUSSIN	16e
Rue	POULET	18e
Rue	DENIS POISSON	17e
Impasse	POULE	20e

...Des noms de métier liés aux animaux

Rue du	GRAND VENEUR	3e
Rue du	FAUCONNIER	4e
Passage de la	PETITE BOUCHERIE	6e
Avenue des	CHASSEURS	17e
Rue des	FERMIERS	17e
Rue des	POISSONNIERS	18e

Impasse des	CHEVALIERS	20e
Sentier des	ÉCUYERS	20e

...Des noms de lieux liés aux animaux

Cour des	FERMES	1er
Rue du	VIEUX COLOMBIER	6e
Rue de	BELLECHASSE	7e
Rue de la	GRANGE-BATELIÈRE	9e
Rue de la	GRANGE AUX BELLES	10e
Rue des	PETITES ÉCURIES	10e
Rue du	BOCAGE	15e
Rue de la	FAISANDERIE	16e
Rue des	PÂTURES	16e
Rue de l'	ABREUVOIR	18e
Rue des	GRANDS CHAMPS	20e
Impasse et rue de la	MARE	20e
Cour de la	MÉTAIRIE	20e
Rue des	MONTIBŒUFS	20e

Griffon, Institut d'art et d'archéologie, rue des Chartreux, VIe.

Repères bibliographiques

Bestiaire contemporain à Paris, catalogue, Délégation à l'action artistique de la Ville de Paris / Société d'histoire et d'archéologie du VII° arrondissement, Paris, 1985.

Breville (Jean-Philippe), dir., *Dictionnaire de la sculpture,* Larousse, 1992.

Buyer (Xavier de), *Fontaines de Paris,* photographies François Bibal, Vilo, 1987.

Charbonneau-Lassay (L.), *Le Bestiaire du Christ,* Desclée, de Brouwer . 1940.

Chevalier (Jean) et Gheerbrant (Alain), *Dictionnaire des symboles,* Robert Laffont / Jupiter, 1992.

Colson (Jean) et Lauroa (Marie-Christine) , dir., *Dictionnaire des Monuments de Paris,* Hervas, 1992.

Dormann (Geneviève), *Paris est une ville pleine de lions,* photographies Sophie Bassouls, Albin Michel, 1991.

Gaillard (Marc), *Les Chevaux de Paris,* photographies Rosine Mazin, Hermé, 1986.

Kjellberg (Pierre), *Le Nouveau guide des statues de Paris,* Bibliothèque des Arts, 1988.

Prache (Anne), *Ile-de-France romane,* Zodiaque, 1983.

Ritzenthaler (Cécile), *Les Animaliers,* Van Wilder, 1989.

Viollet-le-Duc (Eugène), *Dictionnaire raisonné de l'architecture française,* Ernest Gründ.

Wolff-Quénot (Marie-Josèphe), *Bestiaire de pierre*, Nuée Bleue, 1992.

Table des matières

Pingouin, 23, rue Jean-Pierre-Timbaud, XIᵉ.

Achevé d'imprimer en mars 1995
sur les presses de G. Castuera
Dépôt légal 1er trimestre 1995
ISBN 2.903.118.85.X N° d'imprimeur 144.